Marie-Francine Hébert

Lou Beauchesne

MINOU minou

« Des mots plein la bouche »

Planète rebelle

Fondée en 1997 par André Lemelin,
dirigée par Marie-Fleurette Beaudoin depuis 2002
7537, rue Saint-Denis, Montréal (QC) H2R 2E7 CANADA
Téléphone : 514. 278-7375 – Télécopieur : 514. 373-4868
Adresse électronique : info@planeterebelle.qc.ca
www.planeterebelle.qc.ca

Illustrations : Lou Beauchesne
Révision : Janou Gagnon
Correction d'épreuves : Renée Dumas
Conception de la couverture : Marie-Eve Nadeau
Mise en pages : Marie-Eve Nadeau
Impression : Transcontinental Interglobe

Les éditions Planète rebelle remercient le Conseil des Arts du
Canada de l'aide accordée à leur programme de publication, ainsi
que la Société de développement des entreprises culturelles du
Québec (SODEC) et le « Gouvernement du Québec – Programme de
crédit d'impôt pour l'édition de livres – Gestion SODEC ». La maison
d'édition remercie également le ministère du Patrimoine canadien
du soutien financier octroyé dans le cadre de son programme
« Fonds du livre du Canada ».

Distribution en librairie : Diffusion Dimedia
539, boulevard Lebeau, Saint-Laurent (QC)
H4N 1S2 CANADA
Téléphone : 514. 336-3941 – www.dimedia.com

Distribution en France : DNM – Distribution du Nouveau Monde
30, rue Gay-Lussac, 75005 Paris
Téléphone : 01 43 54 50 24 – Télécopieur : 01 43 54 39 15
www.librairieduquebec.fr

Dépôt légal : 1er trimestre 2012

Bibliothèque et Archives nationales du Québec
Bibliothèque et Archives Canada
ISBN : 978-2-923735-33-7

En souvenir de Raoul,
le plus-que-chat
qui a partagé notre vie
pendant près de vingt ans.

Marie-Francine et Lou

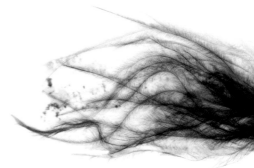

Je m'en souviens encore.
Ma vie de chat venait de commencer.
Blotti contre le cœur de ma mère,
serré entre mes frères et sœurs,
je me sentais à l'abri,
heureux de boire le lait qui coulait de son ventre,
comme un ruisseau prenant sa source au paradis.

Pattes de velours,
et ron et ron petit patapon,
j'avais l'intention d'y passer ma vie entière,
bien au chaud contre son cœur.

Jusqu'au jour où ma mère bâilla.
Ça suffit, mes chatons !
Il faut apprendre à vous débrouiller seuls
maintenant. Allez, ouste !
nous dit-elle dans le langage des chats
fait de gestes et de sons.

Déjà, les autres se bousculaient à la porte.
Moi, je me cramponnais à sa robe : Non !
Mes frères et sœurs s'élancèrent dehors.
Je me cramponnais, je me cramponnais.

Ma mère me secoua les puces :
Cesse tes enfantillages !
Je n'ai pas que ça à faire.

Me tenant alors par la peau du cou, elle me mit à la rue.
Et j'entendis claquer derrière moi la porte du paradis.

La lumière crue, les bruits de la ville, le vent brutal,
les gaz d'échappement, les murs gris, les graffitis,
tout me déplaisait.

De petits et grands malheurs traînaient par terre :
sachet de pain vide, gant perdu,
jouet cassé, lettre d'amour déchirée,
journal plein de mauvaises nouvelles.

Comment mes frères et sœurs
pouvaient-ils s'en donner à cœur joie,
comme s'ils étaient dans un parc d'attractions ?

Des passants défilaient sur le trottoir.
Leurs bras fendaient l'air
et leurs vêtements battaient au vent,
mais leur regard semblait absent
et leur bouche, indifférente.

Gare à ta queue ! s'écria ma mère.

Je suis resté figé devant l'énorme pied qui fonçait sur moi.
Ma mère m'agrippa de justesse.
J'étais à un poil d'être écrabouillé par un effronté du genre
tassez-vous-c'est-moi-qui-passe.

Ce n'était rien comparé aux matous de ruelle.
**De vrais voyous qui s'en prennent
aux plus petits !** nous avertit notre mère.

Pendant que mes frères et sœurs apprenaient
à faire le dos rond et à sortir leurs griffes,
moi, resté derrière, je grattais à la porte du paradis.

Soudain, je vis arriver un gros matou.
Une vraie brute, avec une seule idée en tête :
faire de moi son punching bag.
Maman !

Je croyais ma dernière heure venue,
quand ma mère se porta enfin à mon secours.
C'est la dernière fois !
grogna-t-elle entre les dents.

Dressée comme sur des talons hauts,
elle fusilla le gros matou du regard
et, ses ongles fraîchement aiguisés
projetés à un centimètre de son museau,
lui cria de ficher le camp : **Grrrrhh !**

Le gros matou,
impressionné,
reprit le chemin
de la ruelle,
la queue entre
les pattes.

La vie de chat qui m'attendait m'effrayait.
J'aurais voulu avoir le poids plume de l'oiseau
pour m'envoler et me poser gracieux
sur la plus haute branche.
J'aurais voulu avoir la taille menue de la souris pour
disparaître dans un trou au moindre danger.

Nourriture ! s'écria notre mère en apercevant
l'oiseau et la souris.

Et, à voix basse, elle nous enseigna l'art de la chasse :
Une fois votre proie repérée, ne bougez plus !
L'oiseau est distrait et la souris, tête de linotte ;
tous deux oublient vite que le chat est là,
prêt à les saisir d'un coup de patte.
Alors, adieu oiseau ! adieu souris !
Et bon appétit, mes chatons !

C'en était trop. Mon cœur se souleva.
Jamais, au grand jamais,
je ne mangerais de cette nourriture-là.

**Tu ne pourras plus faire le difficile
quand tu auras le ventre creux,**
laissa tomber ma mère.

Et sans une dernière tétée
ni un dernier regard,
elle fila dans la ruelle rejoindre le gros matou
qui, amoureux fou, se jeta à son cou.

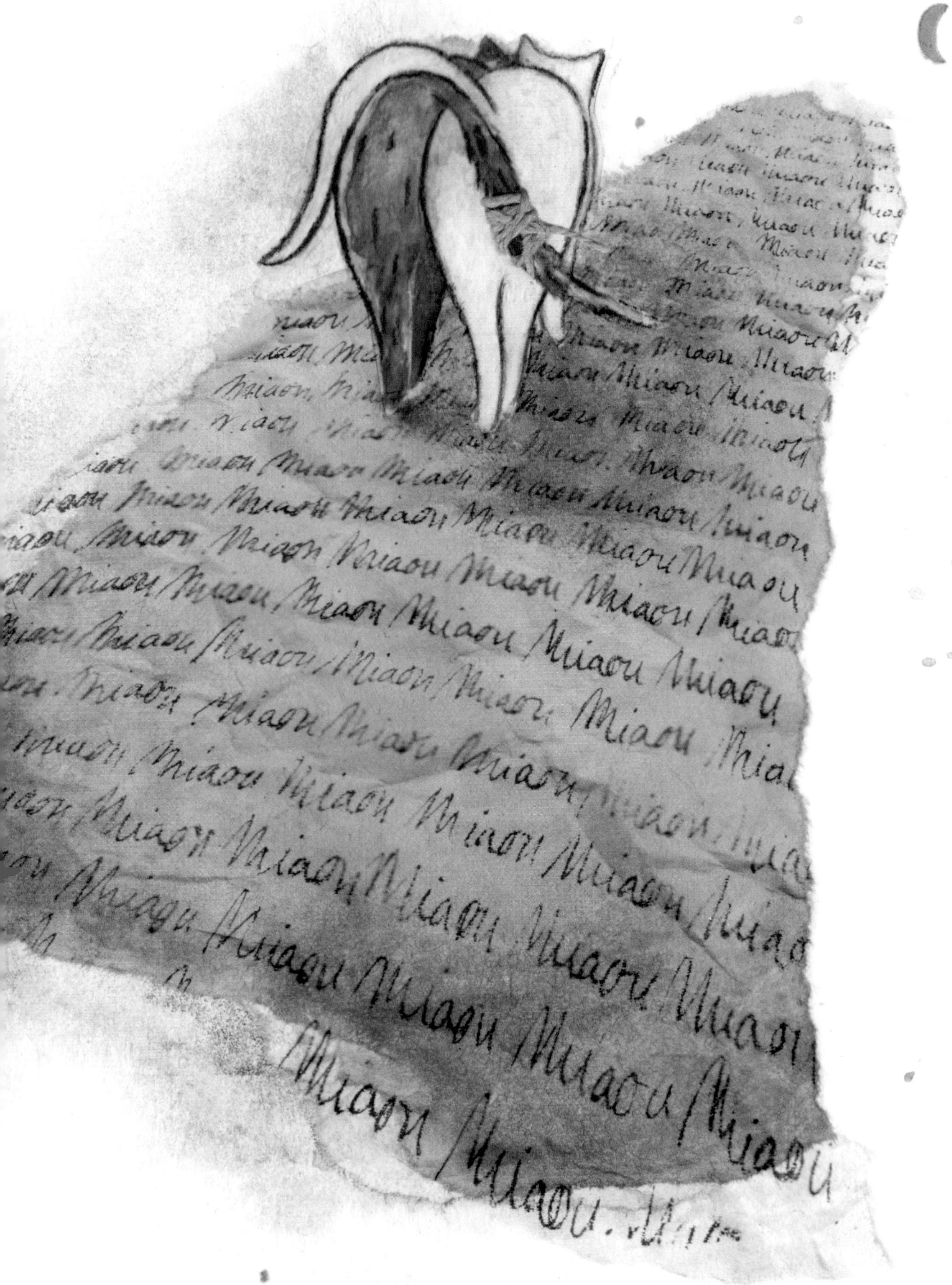

J'ai miaulé à fendre l'âme jusqu'à la nuit venue.

On m'a crié des injures : je dérangeais le voisinage.

**Tu parles d'un monde incapable de supporter
le miaulement d'un pauvre chaton dans la nuit !**

Puisque personne ne voulait de moi,
je n'en voulais pas non plus !

Et je me suis abandonné là, l'estomac vide,
la tête, le cœur, l'âme... tout... vide.

Au matin, j'ai ouvert les yeux, avec mon chagrin
pour seule compagnie. Je les ai refermés sans
prendre le temps de me débarbouiller :
À quoi bon !

C'est alors que je l'ai entendue. Elle.
J'ai d'abord cru qu'il s'agissait d'un mélange d'oiseau,
de souris et d'enfant.

Elle gazouillait à l'intention d'une plus grande à ses côtés :
J'aimerais..., je voudrais..., tu m'achètes...
J'ignorais que ces mots désignaient des rêves d'enfant.

La plus grande ne pouvait pas être une mère.
Je le voyais à son regard chaud
et à ses mains pleines de caresses.

Curieuse et enjouée, la petite trottait ;
on aurait dit une souris géante.
Maîtresse d'elle-même et du monde, elle souriait à la vie.

C'était un être à part qui avait tout pour me plaire.
Mais j'étais trop insignifiant pour qu'elle jette
le moindre regard sur moi.

Pourtant, elle tourna la tête vers moi.
Jamais je n'oublierai cet instant.
Elle lâcha la main de la grande en murmurant :
Minou, minou...

De sa main de fée, elle me caressa la nuque.
Un frisson rond s'empara de moi : Encore...
Elle me gratouilla le menton, me flatta le dos.
Encore... Encore...

J'avais imaginé le pire et voilà que le meilleur se présentait.
Si seulement je m'étais décrotté les yeux !
Si seulement j'avais nettoyé mon museau !

Avant qu'elle reparte, je me suis blotti contre elle
pour m'imprégner de son odeur de jus de pomme
et de chocolat aux noisettes.

Là, elle m'a pris dans ses bras en disant :
Il est si mignon ! Ramenons-le à la maison.
S'il te plaît !

J'ai essayé de répéter : S'il te plaît !
J'ignorais encore que je n'aurais pas assez d'une vie
pour apprendre à parler.
Quelqu'un l'a peut-être perdu et le cherche,
répondit la plus grande.

J'aurais voulu crier : Non, personne !
Je suis seulement parvenu à émettre un faible miaulement.

Ça se voit tout de suite qu'il est abandonné.
Je t'en supplie !
s'exclama la petite.

Sauras-tu t'en occuper, ma chérie ?
demanda la grande.

Oui, je ferai tout pour lui,
lui donner à boire et à manger.
Je nettoierai sa litière. Tout. Promis.
Oh! merci, ma belle maman d'amour!

Je venais de découvrir que toutes les mères
n'étaient pas comme la mienne.
Et, sous le regard aimant de la sienne,
la petite m'emporta,
pattes de velours, et ron et ron petit patapon.

J'ai promis, ce jour-là, de l'aimer toujours.
Et si, de nous deux, c'était moi qui devais l'aimer le plus,
mon désir serait de l'aimer encore davantage.

Automne, hiver, printemps, été, quelle importance !
Du moment que j'étais avec elle.
Pour vivre d'amour et d'eau fraîche,
de lait, à l'occasion, et d'un bol de croquettes.
Pour profiter d'une litière bien à moi ;
je plaignais mes frères et sœurs obligés de partager
des toilettes improvisées en dessous des balcons.

Il m'arrivait de lui servir d'oreiller ou de jouet.
Elle me bouscula parfois et me tira la queue.
Je lui pardonnais tout.
Car elle était jeune
et ne mesurait pas toujours la portée de ses gestes.

Et elle était si occupée par ses rêves.
Rêves d'une robe à volants et de souliers qui brillent.
Rêves de pinceaux, de couleurs, de ciseaux
pour se bricoler une vie à son goût.

Si on en croit les spécialistes du comportement félin,
j'aurais dû chercher à sortir de la maison,
comme tous les chats dignes de ce nom.

Ne croyez pas que ma maîtresse me gardait prisonnier
derrière des portes closes.
Au contraire.
Combien de fois, pensant me faire plaisir,
elle m'a invité à mettre le nez dehors :
Allez, minou, ça te fera du bien.

Je me contentais de jeter un coup d'œil
à la fenêtre sur ce dehors où elle allait souvent.

Vu d'ici, un troisième étage,
je trouvais le monde plus joli avec son ciel variable,
son vent libre de débris et ses oiseaux de passage.

J'acceptais d'y aller en de rares occasions.
Pour la visite de routine chez le vétérinaire, par exemple,
et seulement en compagnie de ma maîtresse.

Avec le temps, elle n'insista plus
et me laissa vivre à ma guise.
Que pour elle.

Elle non plus n'était pas une petite fille modèle.

Ses tables de multiplication et ses conjugaisons,

elle ne les a pas apprises si facilement !

Même qu'elle en a bavé et, de désespoir, sucé son pouce.

En cachette de tout le monde, sauf de moi,

son humble serviteur.

Comment pouvais-je lui venir en aide ?

J'avais compris que je n'aurais pas assez d'une vie
pour apprendre à lire et à compter.

Mais pas question de bayer aux corneilles
pendant que sa mère lui faisait répéter ses leçons !
C'est ainsi que pour l'encourager à se dépasser,
j'ai appris à pépier : **Pit, pit, pit** !
Presque aussi bien qu'un oiseau,
ce qui lui arrachait un sourire.

De vraies souris, je n'en ai jamais revu.
Mais j'en ai imaginé des centaines !
Toutes plus mignonnes les unes que les autres.
Et chaque fois plus rapides,
si rapides qu'aucun chat ne réussirait à les attraper.

Le plaisir, c'était de les voir s'échapper.
Mes courses folles à travers la maison
faisaient rire ma maîtresse aux éclats.

Chaque jour, comme un chien fidèle, j'attendais son retour.
Reconnaissant, entre tous, son pas dans l'escalier
et le grincement de sa clé dans la serrure.
Ah ! son sourire quand elle ouvrait la porte, en disant :
Coucou, maman, c'est moi !

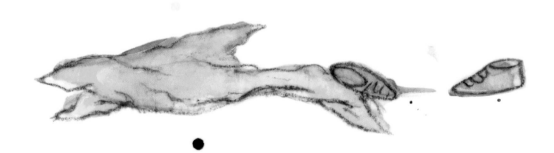

J'acceptais de venir en second, car elle avait si hâte
de raconter sa journée à sa mère.

Parfois, je l'entendais à peine monter.
Elle entrait en m'adressant son premier silence
et nous filions dans sa chambre sur la pointe des pieds.
Elle savait que ses chagrins, petits ou gros,
seraient pris au sérieux.
C'est en pleurant qu'elle appuyait sa tête
contre mon cœur.

Mon cœur qui ne battait que pour elle :
Je suis là. Je suis là.

Je n'avais rien d'humain, ce qui ne m'empêcha pas
de gagner la confiance de ma fée.
En grandissant, il lui arriva de mentir à sa mère,
à son père au téléphone, à des amis aussi,
à elle-même, sans le vouloir ; à moi, jamais.

Un chat, un oiseau, une souris, un chien, un ami,
j'étais tout cela pour elle.
Sans rien attendre en retour.

Elle finit par tenir autant à moi que moi, à elle.
Souvent, elle mettait son rêve de côté
pour me prendre dans ses bras, me câliner,
me gratouiller la nuque, me brosser, jouer avec moi...
Je t'aime tant, minou...
me soufflait-elle à l'oreille.

Nous avions, en ce temps-là,
une relation d'égal à égal
et nous vivions heureux,
pattes de velours, et ron et ron
petit patapon.

Au fil des années, cependant,
je me suis mis à traîner de la patte.
Peu à peu, le dessus de la bibliothèque,
ensuite le rebord de la fenêtre
et enfin mon tabouret préféré sont devenus
inatteignables sans son aide.

Le trajet jusqu'à la litière paraissait
s'allonger un peu plus chaque jour.
Il m'arrivait de ne pas y parvenir à temps.
Une vraie honte !

Sans dire un mot, ma fée nettoyait tout
derrière moi. Car passer le chiffon, ça non
plus, je n'avais jamais réussi à l'apprendre.

Parfois, j'avais du mal à faire ma toilette
et j'étais loin de sentir le chocolat aux
noisettes et le jus de pomme.

Elle me faisait alors un shampoing et
je m'armais de courage. J'avais ensuite
droit à une mise en plis au séchoir :
Un plaisir !

Elle me pardonnait tout, car j'étais vieux
et je mesurais de moins en moins la
portée de mes gestes.

Minou,
ne me laisse pas,
suppliait-elle,
les larmes aux yeux.

Malgré mes efforts pour l'en empêcher,
je sentais la vie m'échapper.
J'étais au désespoir : **Que ferait-elle sans moi ?**

Elle m'emmenait plus souvent chez le vétérinaire :
auscultations, piqûres, médicaments... j'endurais tout.

La dernière fois,
elle me serra plus fort que d'habitude dans ses bras.
Elle avait le cœur si gros
que je l'entendais battre sous sa robe.
Son cœur qui ne battait que pour moi :
Je suis là. Je suis là.

Je n'aurais jamais imaginé qu'elle puisse m'aimer autant.
Sans rien attendre en retour.

Pattes de velours, et ron et ron
petit patapon.

30%

Achevé d'imprimer en février 2012
sur les presses de Transcontinental Interglobe

Imprimé au Canada • Printed in Canada